CLASSIC PUZZLES

SUDOKU

OVER 130 PUZZLES

hinkler

Published by Hinkler Books Pty Ltd
45–55 Fairchild Street
Heatherton Victoria 3202 Australia
www.hinkler.com

hinkler

Cover design: Bianca Zuccolo
Internal design: Hinkler Design Studio
Prepress: Splitting Image
Puzzles © Clarity Media, 2018
Design © Hinkler Books Pty Ltd 2018
Images © Shutterstock.com

ISBN: 978 1 4889 1224 5

Printed and bound in China

INSTRUCTIONS

∽

The only thing you need to solve a Sudoku number place puzzle is logic. You don't need any mathematical knowledge. Sudoku puzzles can take anything from 10 minutes to a few hours. The more you do the better you become!

A Sudoku puzzle consists of 81 squares divided into nine 3 x 3 blocks. Some of the squares have numbers filled in.

To solve a Sudoku puzzle you have to use the numbers 1–9 to fill in the blank squares so that each row, each column and each 3 x 3 block has all the numbers 1–9 appearing only once. In the easier puzzles, you may be able to see straight away where a particular number goes.

Alternatively, a good method is to focus on one particular blank square at a time, scan its row, column and 3 x 3 block. Any numbers that already appear cannot be used to fill that blank square.

As you eliminate possibilities you can see which numbers still remain to be used. If only one number in any sequence is missing (to make the numbers 1–9 appear only once across and down a column, or in a 3 x 3 block), then this is the number you are looking for, so write it into the space. Scanning the Sudoku for pairs of numbers in rows, columns and blocks is a great way to see where a number is missing.

In the harder puzzles (or when you first start tackling a Sudoku puzzle) you can make note of the possible numbers lightly in pencil in the corner of each square. You can then cross out the numbers that you eliminate as options. As you fill in the numbers, you eliminate the possibilities available to fill in other squares. Continue filling in the numbers until every square is filled and the columns, rows and 3 x 3 blocks all contain the numbers 1–9.

SOLVING TIPS

Write the possible number options lightly into each square and soon you will be able to eliminate certain numbers.

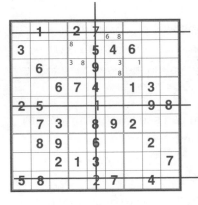

If you scan the row, column and 3 x 3 box, you will see that the only digit that can be used to fill this space is 7.

If you repeat step 1, you will see this square can only be filled by 1.

Now there is only one number left in this column from 1–9; it's a 2, and so your column is now complete.

PUZZLES

SIMPLE

3	7				4		5	6
6				9		3	4	
9		4			3		7	1
7		5					3	
	4					6		5
4	9		5			8		7
	3	6		1				2
5	1		9				6	3

SIMPLE

5		6		3			2	
3						1		
		2	6	1			7	5
			5	9		2	1	
2				6				3
	3	5		2	8			
6	5			7	9	4		
		8						7
	7			8		6		1

SIMPLE

		1	8					
						1	8	
	8	9	5	2			3	6
	1	3			7	8		
4	7			1			2	3
		6	4			7	1	
8	3			5	2	9	6	
	6	2						
					8	3		

SIMPLE

1					3	7	5	
	3					4		
	8				5	9	3	2
			2	4			1	
		8	9	5	1	2		
	1			3	6			
8	7	1	3				6	
		3					2	
	5	6	1					7

SIMPLE

3	5						2	6
	7		4			9		
9					6	5		3
			3					7
1	4	9		7		3	6	5
5				4				
4		3	6					9
		8			1		3	
7	2						1	8

SIMPLE

		8	6	3			2	
3	7	5		1	9	6	8	
		9			3	4		
4	2			5			9	6
		3	9			2		
	3	6	4	9		8	5	7
	5			7	2	9		

SIMPLE

	6	7		4	1	8		
	9					4		
2			6				1	7
			3	5	7			
	4	2		8		5	6	
			2	6	4			
4	3				5			8
		5					7	
		8	4	1		3	5	

SIMPLE

	5	1	9					
2		6		8	7			1
8	7				2			
	8	4	7					
9			3	2	8			4
					9	5	8	
			6				3	2
6			8	5		1		7
					3	6	4	

SIMPLE

9								8
		7		6		1	5	
	1		9			4	2	
		9		4	2			1
2			3	7	1			6
7			6	9		2		
	9	2			3		6	
	8	6		1		3		
4								5

SIMPLE

		1		3	5			6
	8		7			2		
2			4	8		1		9
		2			4			
		9	5	7	3	6		
			9			3		
5		7		4	1			3
		3			7		1	
1			3	5		7		

SIMPLE

	2			8	3		1	7
7								
8	1	9	7			2		3
9		1		6				
	6			2			9	
				7		6		1
4		6			2	1	7	8
								4
2	7		1	4			6	

SIMPLE

	9	8		1				6
		6		5	7		1	
5		1	8				4	3
					3	8		
9				7				1
		2	1					
1	5				9	6		2
	8		5	6		1		
6				3		7	8	

SIMPLE

		6		7	8	1	3	
	5					9	7	
	1		9		5	8		6
			4					
		5	3	1	7	2		
					9			
5		2	8		3		6	
	3	4					9	
	6	9	5	4		3		

SIMPLE

		2						9
9	3		8	6		1		
7				9		3		6
	7	5	2					3
	9			3			4	
3					9	8	2	
6		3		8				4
		7		2	3		9	8
5						2		

SIMPLE

	9				2		4	
7					9	1		
6		1				9		7
		7	3	2	5			4
		3		4		7		
4			7	8	1	5		
1		6				2		8
		9	5					1
	8		2				9	

SIMPLE

1	3			4				5
6			5		7			
		2	9	1	3	6		
4					1	3		
			7		4			
		5	3					7
		6	1	3	5	2		
			6		2			8
2				7			6	3

SIMPLE

							3	9
3					4	8		
	8		1		9	6		
9		3	7	4				
	1	7	2		6	3	9	
				9	8	7		2
		8	9		2		4	
		9	4					8
4	6							

SIMPLE

		3	2					6
7		1					5	2
6	9		4		5	8		
4				5		3	2	
	2	7		4				9
		4	6		1		7	3
2	7					4		1
1					4	6		

SIMPLE

2			5				8	
3	8			4		5		2
				2		9		
		2					5	8
5	9	4				1	7	6
8	1					2		
		5		3				
7		1		9			2	5
	2				7			9

SIMPLE

2				7	3			
	3	1	8		5			
8		7	1	2				
1							5	9
5		9				1		3
3	2							4
				5	2	4		8
			3		8	6	1	
			7	1				2

SIMPLE

6	2	7	4	9	3	1	8	5
5	9	4	1	8	7	3	6	2
8	1	3	5	2	6	9	4	7
7	3	2	3	5	4	8	1	6
1	8	9	9	6	2	7	5	4
4	5	6	8	7	1	2	9	3
3	6	5	7	1	8	4	2	9
2	7	1	6	4	9	5	3	8
9	4	8	2	3	5	6	7	1

SIMPLE

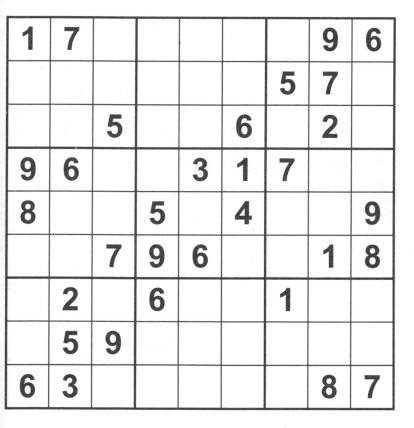

SIMPLE

	9							
5	3		1		2	9		8
		4			6	1		
2	7			9	1			4
4								2
6			8	2			9	7
		7	2			6		
9		2	7		5		3	1
							7	

SIMPLE

	1	9	8				6	
			5		1			
5			4			7	8	
7				1	6			8
2		8				1		6
6			2	8				9
	8	3			7			5
			3		8			
	7				4	8	9	

SIMPLE

8	4		6				5	
	1			3				9
5				9		1	7	
		5			8		1	4
1								6
4	9		7			5		
	5	4		8				1
6				4			2	
	2				9		4	5

SIMPLE

7			9		1			2
	3	6			5	8	9	
5					2			
	5					7		8
	6	4				9	2	
8		7					4	
			3					9
	1	2	8			3	7	
6			2		7			4

SIMPLE

1					7			4
		4		2				3
5	2	7		3			8	
		8	5	4				
	5	6				3	4	
				7	6	8		
	7			8		2	6	1
3				6		4		
6			7					9

SIMPLE

4				2				
	6	5				2	4	
2					4	1	6	
8	3		5	4	9			2
6			2	1	8		3	9
	9	8	7					6
	2	1				3	9	
				9				1

SIMPLE

		1	5	2			8	
4	3				1			
			4		6	9		
	1			5		4		2
5	6						3	9
3		8		6			7	
		3	6		5			
		1					9	3
	9			4	3	5		

SIMPLE

			5	3		2	7	
2	7							3
4					2		6	
			1	8			3	
	3	4	2		9	7	1	
	8			5	3			
	1		9					2
3							4	9
	4	9		2	5			

SIMPLE

		8		6	7	2		
4					8			7
	7	3						
	1	4		8		7		2
	6	2				4	5	
3		7		4		6	8	
						5	1	
2			8					6
		1	7	9		8		

SIMPLE

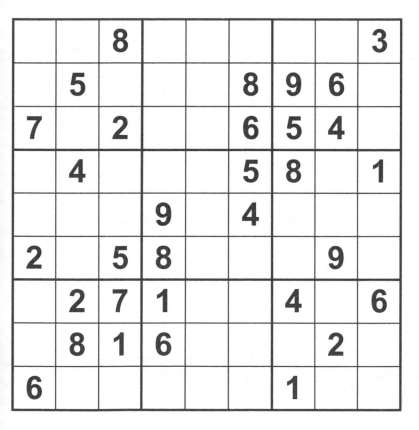

SIMPLE

2		6	1		5		8	7
					4		2	
			2			9		
3		2				7		
7		4	5		2	6		8
		8				2		1
		7			8			
	4		6					
6	8		7		1	3		2

SIMPLE

	3	5	4					8
							1	5
1		6			3	7	2	
	2		3					1
6		3				5		2
5					6		7	
	5	2	7			9		3
7		4						
3					4	2	5	

SIMPLE

		5		3	7			
1	7		5				6	
	4	9					7	
5		4	3					8
	8		9		6		3	
9					8	6		5
	9					3	5	
	1				5		8	2
			7	8		9		

SIMPLE

				8				3
2		7		5		4		6
			7		1			
		1	2	7				4
5	8		9		6		3	1
4				3	5	9		
			8		7			
7		5		1		8		9
8				2				

SIMPLE

	5	3	2	9			4	
9		2						
7	1	8			6			9
	9	5	1		2			
			7		5	8	9	
5			6			4	3	8
						7		6
	6			7	4	9	5	

MEDIUM

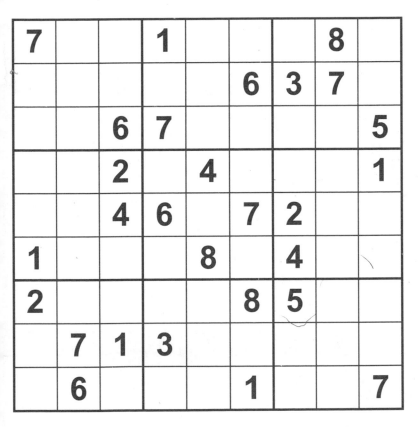

MEDIUM

	5					6		
			4	8		2	1	
4					3			
		8					9	
2			5	4	1			6
	6					1		
			8					7
	4	1		7	9			
		5					2	

MEDIUM

		9	7			2		
5	3		4				6	1
		6			2			
2					1			
9			6		5			4
			2					5
			1			5		
7	9				4		1	6
		8			7	3		

MEDIUM

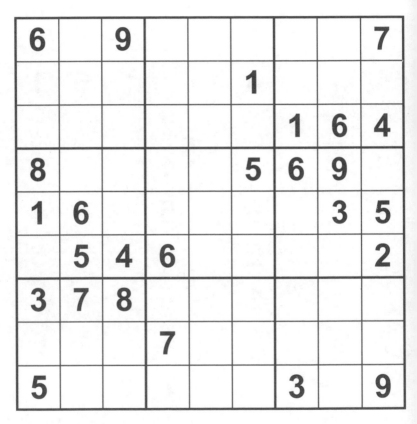

MEDIUM

8	4		7	5				2
			2					
	3				6	9		
			1				3	
4	5						7	9
	9				7			
		2	9				4	
					1			
9				6	4		8	5

MEDIUM

2	9			5		3		
3	6		8			4		
		7						
9	5		2					
			3		1			
					8		3	2
					2			
		6			2		7	3
		2		4			6	8

MEDIUM

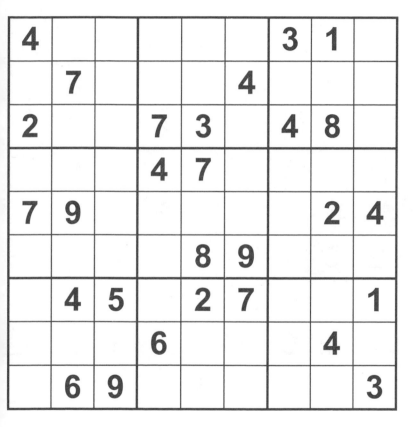

MEDIUM

				4				
	2	1				6	8	
	7			8	6	9		
		3					5	6
	6		5		8		3	
2	5					7		
		8	7	9			6	
	4	6				1	7	
				5				

MEDIUM

		7	9			1	5	
		2	7					
3					5	6	2	
		6		4				
			1		9			
				6		3		
	9	5	2					3
					4	9		
	2	1			8	5		

MEDIUM

5	6				8		1	
8			7					
		1	3				4	
		6	9				3	
7								8
	8				4	9		
	4				5	3		
					3			2
	2		6				9	4

MEDIUM

	6				7			
3				5				7
2	4							
		9		1	3	8		
7			2		8			1
		3	5	6		7		
							8	9
1				2				5
			1				7	

MEDIUM

							3	
		9			8	7		
				5	6	9	1	
9					7	8		
8			4	3	9			2
		6	8					9
	5	7	9	8				
		1	2			4		
	2							

MEDIUM

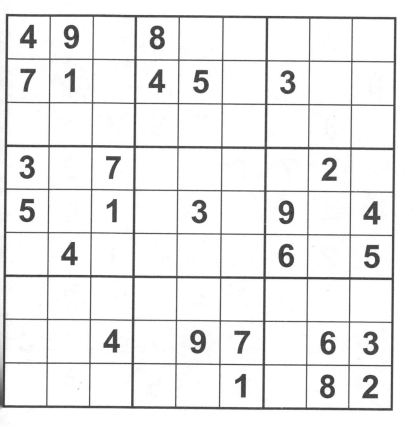

MEDIUM

	6		5		9			
8								
	3			7	8	2		
		7	1				5	2
	4						8	
5	9				4	1		
		9	7	4			2	
								6
			8		5		3	

MEDIUM

						2		3
	4		2	5				
	5	2		9				4
		8	5		2			6
1								9
2			9		7	3		
5				6		8	1	
				3	5		6	
8		6						

MEDIUM

					3	5	6	
	3			6	7			8
		7						
	5				1	6	4	
	1		4		2		9	
	7	4	6				1	
						3		
7			3	2			5	
	6	8	9					

MEDIUM

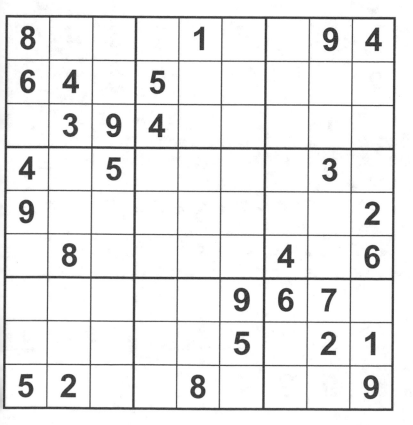

MEDIUM

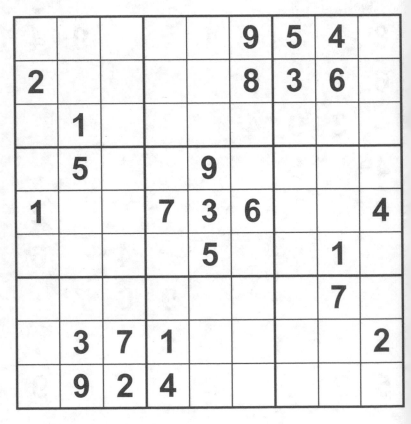

					9	5	4	
2					8	3	6	
	1							
	5			9				
1			7	3	6			4
			5				1	
							7	
	3	7	1					2
	9	2	4					

MEDIUM

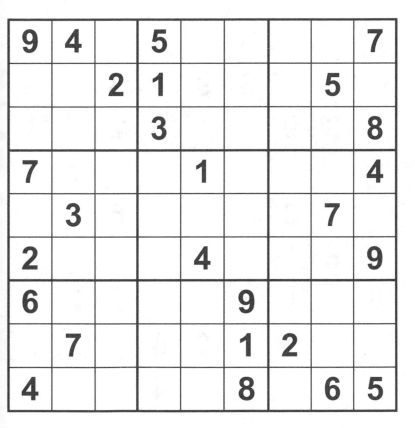

MEDIUM

4			3					
			8	9		4		
	3	9			5	2		1
8							7	2
		3				6		
9	6							4
6		4	5			7	2	
		1		6	8			
					4			6

MEDIUM

9				6		8	2	
7		8	2			6	5	
5			1	4				
		4				5		
				9	7			3
	3	6			2	7		5
	1	9		7				2

MEDIUM

5			9	8				7
	8						9	
	9	2		7	1	8		
		7	5	2				
				1	9	5		
		1	2	5		6	8	
	2						5	
4				3	7			2

MEDIUM

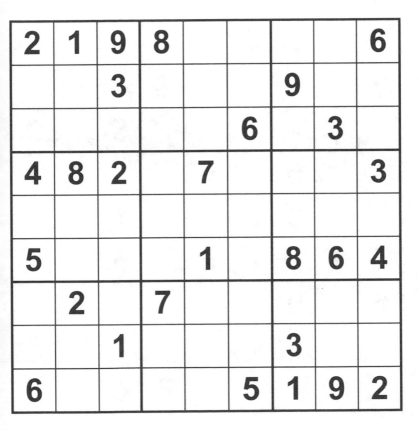

2	1	9	8					6
9		3				9		
					6		3	
4	8	2		7				3
5				1		8	6	4
	2		7					
		1				3		
6					5	1	9	2

MEDIUM

8		7	4					
2					6			
	6					5		9
		5		6			9	4
		6	2		4	1		
4	1			5		6		
6		9					3	
			7					8
					8	4		5

MEDIUM

				6			8	
	5	8			3	7		
7			1					
1						4		
		6	9	7	8	1		
		3						2
					1			7
		4	8			2	6	
	9			3				

MEDIUM

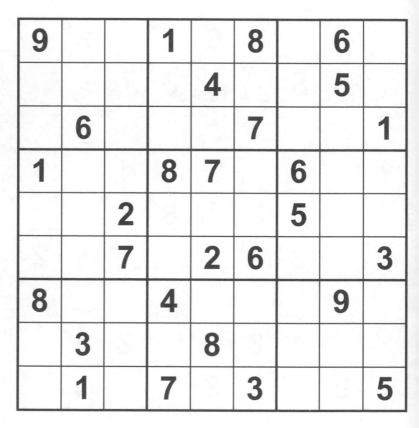

MEDIUM

				9	1		8	
	1		8		6	3		7
				8				2
6		9		3		4		5
2				1				
8		1	9		7		2	
	5		2	4				

MEDIUM

					4		9	2
		4	9		2			
	3							7
	4	7	3					
	1	9				7	5	
					7	6	4	
2							8	
			2		5	3		
1	9		7					

MEDIUM

3			9		8	7	2	
				1		8	4	9
5			3	7		9		8
8		9		5	2			3
7	6	5		8				
	8	2	7		9			6

MEDIUM

7		6		4				
3	5		6			7	2	
							5	1
				9	3			
9		2				1		3
			1	2				
6	4							
	7	8			4		1	9
				8		4		5

MEDIUM

			2	9		6		4
				7		5		
		2		5				7
	3						6	2
9								5
8	6						1	
2				1		7		
		8		4				
4		7		3	9			

MEDIUM

		8						6
		5	1		3		4	9
	2			9				3
			3		5			4
				6				
8			7		9			
1				5			6	
5	8		9		6	7		
9						4		

MEDIUM

			2	3			6	
3				8		1		5
	5				1		8	
						5		9
		5		6		8		
7		1						
	3		4				1	
8		6		9				3
	4			5	3			

MEDIUM

	4		2		3	5		
1						7		
3		2	1				9	
			3					4
			6		4			
5					7			
	8				9	3		2
		3						5
		1	4		2		6	

MEDIUM

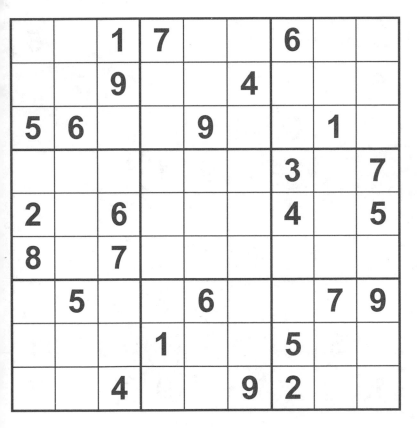

HARD

4		2	1			8		5
5							7	
		6	4					
				9	1			
3		7				1		4
			8	4				
					6	5		
	6							1
1		3			9	2		7

HARD

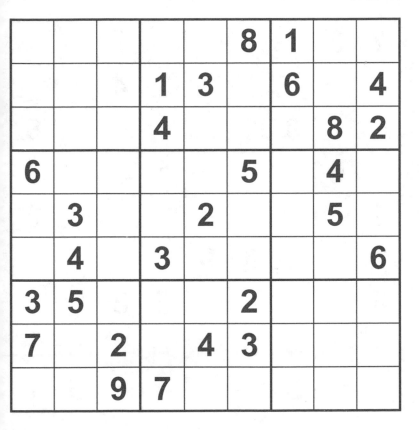

HARD

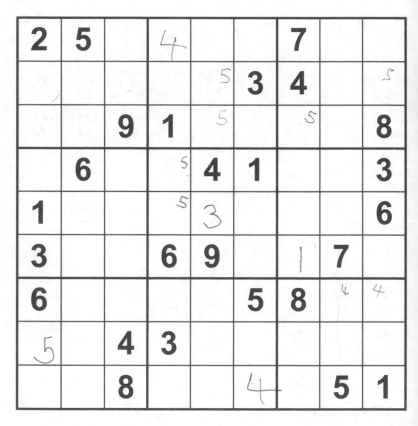

HARD

	5	2	9			1		
		3			1		4	
	7		3			8		
			7	8				
	4						1	
				6	2			
		4			9		7	
	3		4			5		
		5			7	4	6	

HARD

		6			3		5	
4		2		7				
	1		4				3	
8								6
			7		4			
3								4
	8				9		6	
				3		9		7
	2		6			5		

HARD

		8			4	9	5	
							1	
			2	9		7		
			4		2		7	
	5	2				1	6	
	8		3		1			
		4		8	6			
	9							
	7	5	1			2		

HARD

		4	6			7		
			5	4	3			6
							3	
1	7		2					5
		6		3		1		
4					1		7	9
	4							
2			1	6	9			
		3			5	9		

HARD

		2		1			5	
8						1		
		5	3				9	8
			5	7			2	
7				9				3
	5			4	2			
9	8				1	2		
		7						9
	3			6		8		

HARD

3	8			4				7
	7							
		6	7	1		2		
		5					7	
			3	5	6			
	9					8		
		3		9	8	5		
							1	
1				6			3	9

HARD

7					8	9		
6			5			1		
		2	9	4				
	4			7	6			
8								7
			4	2			6	
				9	2	5		
		3			5			8
		5	7					1

HARD

		8	3	4				
4					7			
	9			8				2
	2				6			7
	1						9	
7			4				5	
5				3			4	
			6					8
				2	4	3		

HARD

		9	1					
	1	7		3			5	9
6					9		2	
			5					6
	6						7	
1					4			
	8		9					3
9	4			5		8	1	
					7	2		

HARD

	7	3						
			7					2
6					5	1		
	1	2	9			4		
9		5		1		2		8
		8			7	6	1	
		9	5					4
4					8			
						5	9	

HARD

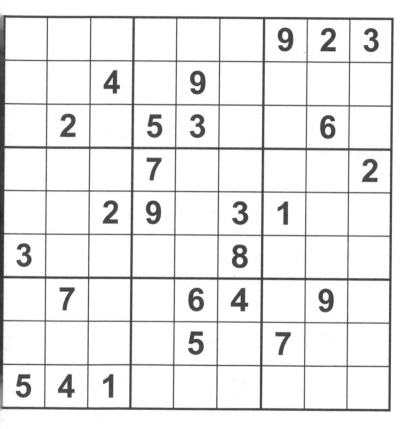

HARD

			1		5	7		
			6	2		5	4	
	5							
		9		4			5	1
7								4
8	1			6		3		
							9	
	8	3		5	7			
		1	8		2			

HARD

					3	2		
4								9
					6	5	3	8
		1			8		2	
	4		3		7		6	
	9		2			7		
6	1	2	8					
8								2
		9	5					

HARD

			4			9		
		2			9		6	
		1	3	8		2	5	
					2	1	7	
				3				
	5	8	1					
	2	7		9	3	8		
	4		2			7		
		6			8			

HARD

	6		2			4		7
		1		8	4			
	8			7				9
						5		
8	7						9	2
		9						
6				5			2	
			3	6		7		
5		8			9		1	

HARD

	2		4			6		
	9					8		
					7		1	5
2				5			8	
5			3	1	8			9
	8			4				6
7	4		1					
		2					3	
		8			9		6	

HARD

				8				6
9				1			2	
4		1	5			8		
8		7			2			
3				7				9
			4			7		1
		9			5	1		3
	5			9				2
1				4				

HARD

	1					4		3
	7		6			2		
	6				3			1
		6	4					
5	3			6			2	4
					9	6		
7			5				8	
		8			2		4	
4		1					9	

HARD

				5	8	1		6
7		8	2					3
		2				9		
			6					7
				1				
2					3			
		9				4		
6					9	8		1
5		1	4	3				

HARD

	9					2		
		3						1
8		6	5		4			
2	7			6	5			
				9				
			7	8			2	3
			6		3	1		4
1						9		
		4					7	

HARD

5		9						2
			9	3		7		
	6				4			
		8				9	3	
	5		8		3		7	
	1	6				8		
			5				2	
		1		2	9			
2						1		8

HARD

	3			8	1			6
			5					
	7	5		6			9	
	4							8
3	6			9			7	5
9							1	
	5			3		7	2	
					4			
1			2	7			6	

HARD

9	8			3	1	6		
6	2		5					
		1						
3			7					
8	7			4			6	5
					6			9
						5		
					5		8	2
		4	9	8			1	3

HARD

1	6					9		
	2	8				7		
					6		4	
8					2		5	
			3	9	5			
	5		6					7
	8		5					
		7				1	3	
		3					2	4

DIABOLICAL

	5		7	8			3	
		4			5	7		
			9					
2			3	7				
		7	1					8
3		6					4	
		3	6				2	9
		2		9		1		

DIABOLICAL

		2		7				3
			4			9		
5				9	8	7		
	8	3	2			1		
2					9			
	5							
					1		4	
			8				6	1
	3		7				5	

DIABOLICAL

				9			3	
	1	4				8		5
					8	6		
	5	8		7	2			1
						3	5	
				4				
		3		8	6	5		2
	2	5					7	
4			9					

DIABOLICAL

		4			8	6		
3		6		7	4			
	8			5				
	1	9						4
		5				8		
8			9					
				6	9		5	
				3			8	
4						2	1	

DIABOLICAL

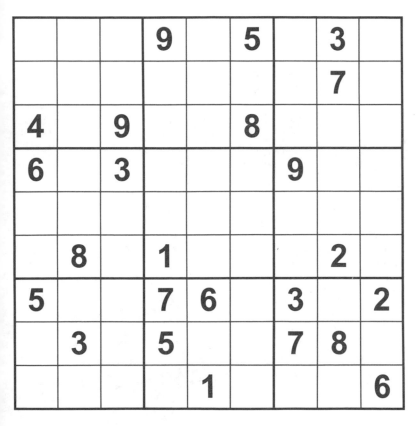

			9		5		3	
							7	
4		9			8			
6		3				9		
	8		1				2	
5			7	6		3		2
	3		5			7	8	
				1				6

DIABOLICAL

			8	1				
	4	7	5			9		
	6	8	4	7	9			
	9		3		5			
5		6				8		3
4	7				6	1		8
						5	3	
	5	1						6

DIABOLICAL

	9		6		8	1		3
8				1				
3		2	4					
6			5					
4						9		
	8				6			
2	5			7			8	
		3	9			5		
							4	

DIABOLICAL

	1	6					7	
8					1			
			8					
			2		8			4
9		4	5		7	6		2
	6			4		1		
		2	6			9		
1			9				3	
					5		2	

DIABOLICAL

						5	1	
5		9	4		1			
				6	8			4
	8	2			7	1		
		3	2					
6								
							9	
				5		6	3	7
	6		8		2			

DIABOLICAL

					9		2	
		7	5	4				
2	4					5		
		5	8			7		2
		6				8	4	
	8						9	
		3	6	9			1	
							3	
	6	2		8				9

DIABOLICAL

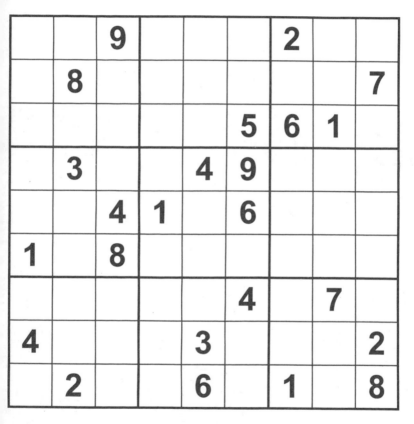

DIABOLICAL

						7		
3			9	5				
9				4	6			
5		8						7
		1			4	2		
	7		5				4	
	1			3				5
	5		4		1			3
			6			1		

DIABOLICAL

8				1				
		2	9					8
		9					4	
5				8	7		3	6
1					6	5		
3								
4			6					
						3		
		5			8		2	7

DIABOLICAL

		2			8		1	
8				9			4	
	3							
			6				7	
	8	5						
		1		2			8	
5			2					8
2					1	4		6
	7				5	3		

DIABOLICAL

	6			7	9			2
9		5					1	
	7	8		1	4			
5								8
1	4				7			
			4		3			
	1	7			3			
			6				2	5

DIABOLICAL

	2			9	7			6
7		9		3				
			2				1	7
							7	5
1		6			5			4
		2	1				6	
					9			
		7		1	4			
			5				2	

DIABOLICAL

7	6		9				3	
					8	1	7	
	7		6	9				1
8	3		7					
				4				
6				3		5		
3	9				1	8		4
5		8						

DIABOLICAL

						3		
	5	2			7		6	
3		1		9			2	7
		5			8			
	7		6		5			3
		6	3				5	
8						1	7	
			2				4	
	1					5		

DIABOLICAL

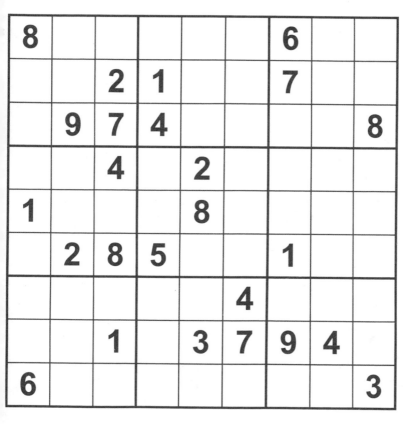

DIABOLICAL

	9	1	6				7	
						9		
7			9			2		
	7	9	5	8		6		1
		6			4	8		
	5							
		2			1			5
4				3				2
				6				

DIABOLICAL

7	4		1					
		2	8	9	3			
			5					6
		8		4			3	
	3	5	7	8		6		4
	9					8		
8				5				7
						4		
			6					3

SOLUTIONS

SUDOKU 1

3	7	8	1	2	4	9	5	6
6	2	1	7	9	5	3	4	8
9	5	4	8	6	3	2	7	1
7	6	5	2	4	8	1	3	9
1	8	3	6	5	9	7	2	4
2	4	9	3	7	1	6	8	5
4	9	2	5	3	6	8	1	7
8	3	6	4	1	7	5	9	2
5	1	7	9	8	2	4	6	3

SUDOKU 2

8	5	9	1	4	2	6	7	3
4	3	2	6	7	5	8	1	9
7	6	1	8	3	9	2	5	4
6	2	4	3	8	1	5	9	7
1	7	8	9	5	6	3	4	2
5	9	3	4	2	7	1	8	6
3	4	5	2	9	8	7	6	1
9	1	7	5	6	3	4	2	8
2	8	6	7	1	4	9	3	5

SUDOKU 3

7	4	8	2	6	3	5	9	1
6	1	9	7	4	5	8	2	3
2	5	3	8	9	1	6	7	4
8	2	7	1	5	9	3	4	6
3	6	5	4	2	8	9	1	7
1	9	4	6	3	7	2	8	5
5	3	2	9	1	4	7	6	8
4	7	6	3	8	2	1	5	9
9	8	1	5	7	6	4	3	2

SUDOKU 4

7	8	9	2	1	3	5	6	4
2	4	1	5	7	6	9	8	3
6	3	5	4	9	8	1	7	2
4	1	8	9	3	2	7	5	6
3	9	7	8	6	5	2	4	1
5	6	2	1	4	7	3	9	8
1	2	6	7	5	4	8	3	9
8	5	4	3	2	9	6	1	7
9	7	3	6	8	1	4	2	5

SUDOKU 5

3	9	8	6	4	2	5	7	1
7	4	2	5	1	8	9	3	6
6	1	5	9	3	7	4	8	2
8	5	7	3	6	1	2	4	9
9	2	1	7	8	4	3	6	5
4	6	3	2	5	9	7	1	8
5	8	4	1	9	3	6	2	7
2	3	9	8	7	6	1	5	4
1	7	6	4	2	5	8	9	3

SUDOKU 6

3	4	5	1	8	6	7	9	2
8	2	6	7	5	9	4	3	1
7	1	9	4	3	2	8	5	6
2	8	3	6	1	5	9	7	4
1	5	4	9	7	3	6	2	8
6	9	7	2	4	8	5	1	3
9	3	8	5	2	4	1	6	7
5	7	2	8	6	1	3	4	9
4	6	1	3	9	7	2	8	5

SUDOKU ∼ 7

2	3	4	5	6	1	7	8	9
7	1	5	8	9	3	6	4	2
9	6	8	7	4	2	3	5	1
4	7	6	1	5	8	2	9	3
1	8	2	4	3	9	5	6	7
5	9	3	6	2	7	4	1	8
6	2	9	3	1	4	8	7	5
3	4	7	9	8	5	1	2	6
8	5	1	2	7	6	9	3	4

SUDOKU ∼ 8

6	3	7	1	2	8	4	5	9
1	8	2	9	5	4	3	7	6
5	4	9	3	6	7	8	2	1
8	2	6	5	3	1	9	4	7
7	5	1	4	8	9	2	6	3
3	9	4	6	7	2	5	1	8
9	7	5	2	1	3	6	8	4
4	6	8	7	9	5	1	3	2
2	1	3	8	4	6	7	9	5

SUDOKU ∼ 9

3	2	4	1	5	7	8	6	9
1	8	5	9	4	6	7	2	3
6	7	9	3	2	8	5	4	1
4	3	6	5	8	1	9	7	2
5	9	7	2	3	4	1	8	6
2	1	8	7	6	9	4	3	5
9	4	3	6	7	5	2	1	8
7	6	1	8	9	2	3	5	4
8	5	2	4	1	3	6	9	7

SUDOKU ∼ 10

1	8	5	4	6	9	7	3	2
6	7	4	3	1	2	5	9	8
9	2	3	8	5	7	1	6	4
4	3	1	6	7	5	2	8	9
8	9	7	2	3	4	6	1	5
5	6	2	9	8	1	3	4	7
2	5	6	1	9	8	4	7	3
7	1	8	5	4	3	9	2	6
3	4	9	7	2	6	8	5	1

SUDOKU ∼ 11

7	1	9	8	6	5	3	4	2
4	8	6	3	2	1	7	5	9
5	3	2	4	9	7	1	8	6
3	2	7	1	8	9	5	6	4
8	6	4	5	7	3	9	2	1
9	5	1	2	4	6	8	7	3
2	4	3	9	5	8	6	1	7
6	9	5	7	1	2	4	3	8
1	7	8	6	3	4	2	9	5

SUDOKU ∼ 12

5	1	6	9	3	7	8	2	4
3	4	7	8	5	2	1	6	9
8	9	2	6	1	4	3	7	5
7	6	4	5	9	3	2	1	8
2	8	9	4	6	1	7	5	3
1	3	5	7	2	8	9	4	6
6	5	1	3	7	9	4	8	2
9	2	8	1	4	6	5	3	7
4	7	3	2	8	5	6	9	1

SUDOKU ❦ 13

3	4	1	8	7	6	2	5	9
6	2	5	3	4	9	1	8	7
7	8	9	5	2	1	4	3	6
5	1	3	2	6	7	8	9	4
4	7	8	9	1	5	6	2	3
2	9	6	4	8	3	7	1	5
8	3	4	7	5	2	9	6	1
9	6	2	1	3	4	5	7	8
1	5	7	6	9	8	3	4	2

SUDOKU ❦ 14

1	2	4	8	9	3	7	5	6
5	3	9	6	7	2	4	8	1
6	8	7	4	1	5	9	3	2
7	9	5	2	4	8	6	1	3
3	6	8	9	5	1	2	7	4
4	1	2	7	3	6	8	9	5
8	7	1	3	2	4	5	6	9
9	4	3	5	6	7	1	2	8
2	5	6	1	8	9	3	4	7

SUDOKU ❦ 15

3	5	1	7	9	8	4	2	6
2	7	6	4	3	5	9	8	1
9	8	4	2	1	6	5	7	3
8	6	2	3	5	9	1	4	7
1	4	9	8	7	2	3	6	5
5	3	7	1	6	4	8	9	2
4	1	3	6	8	7	2	5	9
6	9	8	5	2	1	7	3	4
7	2	5	9	4	3	6	1	8

SUDOKU ❦ 16

9	4	8	6	3	7	5	2	1
3	7	5	2	1	9	6	8	4
6	1	2	5	8	4	7	3	9
5	6	9	1	2	3	4	7	8
4	2	1	7	5	8	3	9	6
7	8	3	9	4	6	2	1	5
8	9	7	3	6	5	1	4	2
2	3	6	4	9	1	8	5	7
1	5	4	8	7	2	9	6	3

SUDOKU ❦ 17

3	6	7	9	4	1	8	2	5
8	9	1	5	7	2	4	3	6
2	5	4	6	3	8	9	1	7
6	8	9	3	5	7	2	4	1
7	4	2	1	8	9	5	6	3
5	1	3	2	6	4	7	8	9
4	3	6	7	2	5	1	9	8
1	2	5	8	9	3	6	7	4
9	7	8	4	1	6	3	5	2

SUDOKU ❦ 18

4	5	1	9	3	6	2	7	8
2	9	6	4	8	7	3	5	1
8	7	3	5	1	2	4	6	9
1	8	4	7	6	5	9	2	3
9	6	5	3	2	8	7	1	4
3	2	7	1	4	9	5	8	6
5	4	9	6	7	1	8	3	2
6	3	2	8	5	4	1	9	7
7	1	8	2	9	3	6	4	5

SUDOKU ∽ 19

9	2	4	1	3	5	6	7	8
8	3	7	2	6	4	1	5	9
6	1	5	9	8	7	4	2	3
3	6	9	5	4	2	7	8	1
2	4	8	3	7	1	5	9	6
7	5	1	6	9	8	2	3	4
1	9	2	4	5	3	8	6	7
5	8	6	7	1	9	3	4	2
4	7	3	8	2	6	9	1	5

SUDOKU ∽ 20

9	7	1	2	3	5	4	8	6
6	8	4	7	1	9	2	3	5
2	3	5	4	8	6	1	7	9
3	5	2	1	6	4	8	9	7
8	1	9	5	7	3	6	4	2
7	4	6	9	2	8	3	5	1
5	6	7	8	4	1	9	2	3
4	2	3	6	9	7	5	1	8
1	9	8	3	5	2	7	6	4

SUDOKU ∽ 21

6	2	5	4	8	3	9	1	7
7	3	4	2	1	9	8	5	6
8	1	9	7	5	6	2	4	3
9	4	1	3	6	5	7	8	2
3	6	7	8	2	1	4	9	5
5	8	2	9	7	4	6	3	1
4	9	6	5	3	2	1	7	8
1	5	8	6	9	7	3	2	4
2	7	3	1	4	8	5	6	9

SUDOKU ∽ 22

2	9	8	3	1	4	5	7	6
4	3	6	9	5	7	2	1	8
5	7	1	8	2	6	9	4	3
7	1	5	6	4	3	8	2	9
9	6	3	2	7	8	4	5	1
8	4	2	1	9	5	3	6	7
1	5	4	7	8	9	6	3	2
3	8	7	5	6	2	1	9	4
6	2	9	4	3	1	7	8	5

SUDOKU ∽ 23

9	4	6	2	7	8	1	3	5
3	5	8	1	6	4	9	7	2
2	1	7	9	3	5	8	4	6
7	8	3	4	5	2	6	1	9
6	9	5	3	1	7	2	8	4
4	2	1	6	8	9	7	5	3
5	7	2	8	9	3	4	6	1
1	3	4	7	2	6	5	9	8
8	6	9	5	4	1	3	2	7

SUDOKU ∽ 24

8	6	2	3	7	1	4	5	9
9	3	4	8	6	5	1	7	2
7	5	1	4	9	2	3	8	6
1	7	5	2	4	8	9	6	3
2	9	8	1	3	6	7	4	5
3	4	6	7	5	9	8	2	1
6	2	3	9	8	7	5	1	4
4	1	7	5	2	3	6	9	8
5	8	9	6	1	4	2	3	7

SUDOKU ∽ 25

5	9	8	1	7	2	6	4	3
7	2	4	6	3	9	1	8	5
6	3	1	8	5	4	9	2	7
9	1	7	3	2	5	8	6	4
8	5	3	9	4	6	7	1	2
4	6	2	7	8	1	5	3	9
1	7	6	4	9	3	2	5	8
2	4	9	5	6	8	3	7	1
3	8	5	2	1	7	4	9	6

SUDOKU ∽ 26

1	3	8	2	4	6	9	7	5
6	4	9	5	8	7	1	3	2
5	7	2	9	1	3	6	8	4
4	2	7	8	5	1	3	9	6
9	6	3	7	2	4	8	5	1
8	1	5	3	6	9	4	2	7
7	8	6	1	3	5	2	4	9
3	5	4	6	9	2	7	1	8
2	9	1	4	7	8	5	6	3

SUDOKU ∽ 27

2	5	1	6	8	7	4	3	9
3	9	6	5	2	4	8	7	1
7	8	4	1	3	9	6	2	5
9	2	3	7	4	1	5	8	6
8	1	7	2	5	6	3	9	4
6	4	5	3	9	8	7	1	2
5	7	8	9	6	2	1	4	3
1	3	9	4	7	5	2	6	8
4	6	2	8	1	3	9	5	7

SUDOKU ∽ 28

5	8	3	2	7	9	1	4	6
7	4	1	3	6	8	9	5	2
6	9	2	4	1	5	8	3	7
4	6	9	1	5	7	3	2	8
8	1	5	9	3	2	7	6	4
3	2	7	8	4	6	5	1	9
9	5	4	6	8	1	2	7	3
2	7	6	5	9	3	4	8	1
1	3	8	7	2	4	6	9	5

SUDOKU ∽ 29

2	4	9	5	6	3	7	8	1
3	8	7	9	4	1	5	6	2
1	5	6	7	2	8	9	4	3
6	7	2	4	1	9	3	5	8
5	9	4	3	8	2	1	7	6
8	1	3	6	7	5	2	9	4
9	6	5	2	3	4	8	1	7
7	3	1	8	9	6	4	2	5
4	2	8	1	5	7	6	3	9

SUDOKU ∽ 30

2	5	6	4	7	3	9	8	1
9	3	1	8	6	5	2	4	7
8	4	7	1	2	9	5	3	6
1	6	4	2	3	7	8	5	9
5	7	9	6	8	4	1	2	3
3	2	8	5	9	1	7	6	4
6	1	3	9	5	2	4	7	8
7	9	2	3	4	8	6	1	5
4	8	5	7	1	6	3	9	2

SUDOKU ∾ 31

6	2	7	4	9	3	1	8	5
5	9	4	1	8	7	3	6	2
8	1	3	5	2	6	9	4	7
7	3	2	9	5	4	8	1	6
1	8	9	3	6	2	7	5	4
4	5	6	8	7	1	2	9	3
3	6	5	7	1	8	4	2	9
2	7	1	6	4	9	5	3	8
9	4	8	2	3	5	6	7	1

SUDOKU ∾ 32

1	7	4	2	5	3	8	9	6
2	8	6	1	4	9	5	7	3
3	9	5	7	8	6	4	2	1
9	6	2	8	3	1	7	5	4
8	1	3	5	7	4	2	6	9
5	4	7	9	6	2	3	1	8
4	2	8	6	9	7	1	3	5
7	5	9	3	1	8	6	4	2
6	3	1	4	2	5	9	8	7

SUDOKU ∾ 33

8	9	1	4	5	3	7	2	6
5	3	6	1	7	2	9	4	8
7	2	4	9	8	6	1	5	3
2	7	8	5	9	1	3	6	4
4	5	9	6	3	7	8	1	2
6	1	3	8	2	4	5	9	7
3	4	7	2	1	9	6	8	5
9	8	2	7	6	5	4	3	1
1	6	5	3	4	8	2	7	9

SUDOKU ∾ 34

3	1	9	8	7	2	5	6	4
8	4	7	5	6	1	9	3	2
5	2	6	4	3	9	7	8	1
7	5	4	9	1	6	3	2	8
2	9	8	7	4	3	1	5	6
6	3	1	2	8	5	4	7	9
9	8	3	1	2	7	6	4	5
4	6	5	3	9	8	2	1	7
1	7	2	6	5	4	8	9	3

SUDOKU ∾ 35

8	4	9	6	7	1	3	5	2
2	1	7	8	3	5	4	6	9
5	3	6	4	9	2	1	7	8
3	6	5	9	2	8	7	1	4
1	7	8	3	5	4	2	9	6
4	9	2	7	1	6	5	8	3
9	5	4	2	8	7	6	3	1
6	8	1	5	4	3	9	2	7
7	2	3	1	6	9	8	4	5

SUDOKU ∾ 36

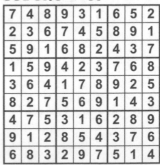

7	4	8	9	3	1	6	5	2
2	3	6	7	4	5	8	9	1
5	9	1	6	8	2	4	3	7
1	5	9	4	2	3	7	6	8
3	6	4	1	7	8	9	2	5
8	2	7	5	6	9	1	4	3
4	7	5	3	1	6	2	8	9
9	1	2	8	5	4	3	7	6
6	8	3	2	9	7	5	1	4

SUDOKU ～ 37

1	6	3	8	5	7	9	2	4
8	9	4	6	2	1	7	5	3
5	2	7	4	3	9	1	8	6
9	3	8	5	4	2	6	1	7
7	5	6	1	9	8	3	4	2
2	4	1	3	7	6	8	9	5
4	7	5	9	8	3	2	6	1
3	1	9	2	6	5	4	7	8
6	8	2	7	1	4	5	3	9

SUDOKU ～ 38

4	7	3	1	2	6	9	8	5
1	6	5	9	8	7	2	4	3
2	8	9	3	5	4	1	6	7
8	3	7	5	4	9	6	1	2
9	1	2	6	7	3	8	5	4
6	5	4	2	1	8	7	3	9
5	9	8	7	3	1	4	2	6
7	2	1	4	6	5	3	9	8
3	4	6	8	9	2	5	7	1

SUDOKU ～ 39

6	7	1	5	2	9	3	8	4
4	3	9	8	7	1	2	5	6
8	5	2	4	3	6	9	1	7
9	1	7	3	5	8	4	6	2
5	6	4	2	1	7	8	3	9
3	2	8	9	6	4	1	7	5
2	8	3	6	9	5	7	4	1
7	4	5	1	8	2	6	9	3
1	9	6	7	4	3	5	2	8

SUDOKU ～ 40

1	9	6	5	3	8	2	7	4
2	7	8	6	1	4	5	9	3
4	5	3	7	9	2	8	6	1
9	6	2	1	8	7	4	3	5
5	3	4	2	6	9	7	1	8
7	8	1	4	5	3	9	2	6
8	1	7	9	4	6	3	5	2
3	2	5	8	7	1	6	4	9
6	4	9	3	2	5	1	8	7

SUDOKU ～ 41

1	9	8	3	6	7	2	4	5
4	2	6	1	5	8	3	9	7
5	7	3	4	2	9	1	6	8
9	1	4	5	8	6	7	3	2
8	6	2	9	7	3	4	5	1
3	5	7	2	4	1	6	8	9
7	8	9	6	3	2	5	1	4
2	3	5	8	1	4	9	7	6
6	4	1	7	9	5	8	2	3

SUDOKU ～ 42

4	6	8	5	9	7	2	1	3
1	5	3	4	2	8	9	6	7
7	9	2	3	1	6	5	4	8
3	4	9	2	6	5	8	7	1
8	1	6	9	7	4	3	5	2
2	7	5	8	3	1	6	9	4
5	2	7	1	8	9	4	3	6
9	8	1	6	4	3	7	2	5
6	3	4	7	5	2	1	8	9

SUDOKU 43

2	9	6	1	3	5	4	8	7
8	7	1	9	6	4	5	2	3
4	3	5	2	8	7	9	1	6
3	5	2	8	1	6	7	9	4
7	1	4	5	9	2	6	3	8
9	6	8	4	7	3	2	5	1
5	2	7	3	4	8	1	6	9
1	4	3	6	2	9	8	7	5
6	8	9	7	5	1	3	4	2

SUDOKU 44

2	3	5	4	1	7	6	9	8
4	7	9	6	2	8	1	3	5
1	8	6	9	5	3	7	2	4
9	2	7	3	8	5	4	6	1
6	4	3	1	7	9	5	8	2
5	1	8	2	4	6	3	7	9
8	5	2	7	6	1	9	4	3
7	9	4	5	3	2	8	1	6
3	6	1	8	9	4	2	5	7

SUDOKU 45

6	2	5	1	3	7	8	4	9
1	7	8	5	4	9	2	6	3
3	4	9	8	6	2	5	7	1
5	6	4	3	2	1	7	9	8
2	8	7	9	5	6	1	3	4
9	3	1	4	7	8	6	2	5
8	9	6	2	1	4	3	5	7
7	1	3	6	9	5	4	8	2
4	5	2	7	8	3	9	1	6

SUDOKU 46

6	5	9	4	8	2	1	7	3
2	1	7	3	5	9	4	8	6
3	4	8	7	6	1	2	9	5
9	3	1	2	7	8	5	6	4
5	8	2	9	4	6	7	3	1
4	7	6	1	3	5	9	2	8
1	6	4	8	9	7	3	5	2
7	2	5	6	1	3	8	4	9
8	9	3	5	2	4	6	1	7

SUDOKU 47

6	5	3	2	9	8	1	4	7
9	4	2	5	1	7	6	8	3
7	1	8	3	4	6	5	2	9
8	9	5	1	6	2	3	7	4
1	3	7	4	8	9	2	6	5
4	2	6	7	3	5	8	9	1
5	7	9	6	2	1	4	3	8
2	8	4	9	5	3	7	1	6
3	6	1	8	7	4	9	5	2

SUDOKU 48

5	2	8	4	9	7	6	3	1
9	4	6	3	8	1	5	7	2
3	7	1	2	5	6	9	4	8
2	6	3	9	7	4	1	8	5
7	9	5	8	1	3	4	2	6
1	8	4	5	6	2	3	9	7
6	3	9	7	2	5	8	1	4
8	5	7	1	4	9	2	6	3
4	1	2	6	3	8	7	5	9

SUDOKU 49

8	3	4	6	2	1	7	5	9
9	7	5	3	4	8	1	6	2
1	2	6	7	5	9	4	8	3
4	8	2	5	7	6	9	3	1
7	1	9	8	3	4	5	2	6
5	6	3	1	9	2	8	4	7
2	4	8	9	1	3	6	7	5
6	9	7	2	8	5	3	1	4
3	5	1	4	6	7	2	9	8

SUDOKU 50

7	2	5	1	3	4	6	8	9
4	1	9	8	5	6	3	7	2
8	3	6	7	9	2	1	4	5
6	8	2	5	4	3	7	9	1
3	9	4	6	1	7	2	5	8
1	5	7	2	8	9	4	6	3
2	4	3	9	7	8	5	1	6
9	7	1	3	6	5	8	2	4
5	6	8	4	2	1	9	3	7

SUDOKU 51

8	5	7	1	9	2	6	4	3
3	9	6	4	8	7	2	1	5
4	1	2	6	5	3	7	8	9
1	3	8	7	2	6	5	9	4
2	7	9	5	4	1	8	3	6
5	6	4	9	3	8	1	7	2
9	2	3	8	1	5	4	6	7
6	4	1	2	7	9	3	5	8
7	8	5	3	6	4	9	2	1

SUDOKU 52

4	1	9	7	5	6	2	3	8
5	3	2	4	9	8	7	6	1
8	7	6	3	1	2	4	5	9
2	6	5	8	4	1	9	7	3
9	8	7	6	3	5	1	2	4
3	4	1	2	7	9	6	8	5
6	2	4	1	8	3	5	9	7
7	9	3	5	2	4	8	1	6
1	5	8	9	6	7	3	4	2

SUDOKU 53

6	1	9	3	2	4	8	5	7
7	4	5	8	6	1	9	2	3
2	8	3	5	9	7	1	6	4
8	3	7	2	4	5	6	9	1
1	6	2	9	7	8	4	3	5
9	5	4	6	1	3	7	8	2
3	7	8	1	5	9	2	4	6
4	9	6	7	3	2	5	1	8
5	2	1	4	8	6	3	7	9

SUDOKU 54

8	4	1	7	5	9	3	6	2
6	7	9	2	1	3	4	5	8
2	3	5	4	8	6	9	1	7
7	2	6	1	9	8	5	3	4
4	5	8	6	3	2	1	7	9
1	9	3	5	4	7	8	2	6
3	8	2	9	7	5	6	4	1
5	6	4	8	2	1	7	9	3
9	1	7	3	6	4	2	8	5

SUDOKU ∽ 55

2	9	1	4	5	6	3	8	7
3	6	5	8	2	7	4	9	1
4	8	7	1	3	9	6	2	5
9	5	3	2	7	4	8	1	6
7	2	8	3	6	1	5	4	9
6	1	4	5	9	8	7	3	2
8	7	9	6	1	3	2	5	4
5	4	6	9	8	2	1	7	3
1	3	2	7	4	5	9	6	8

SUDOKU ∽ 56

4	8	6	9	5	2	3	1	7
9	7	3	8	1	4	6	5	2
2	5	1	7	3	6	4	8	9
6	3	2	4	7	5	1	9	8
7	9	8	1	6	3	5	2	4
5	1	4	2	8	9	7	3	6
8	4	5	3	2	7	9	6	1
3	2	7	6	9	1	8	4	5
1	6	9	5	4	8	2	7	3

SUDOKU ∽ 57

6	8	9	1	4	3	5	2	7
4	2	1	9	7	5	6	8	3
3	7	5	2	8	6	9	4	1
8	9	3	4	1	7	2	5	6
1	6	7	5	2	8	4	3	9
2	5	4	3	6	9	7	1	8
5	1	8	7	9	4	3	6	2
9	4	6	8	3	2	1	7	5
7	3	2	6	5	1	8	9	4

SUDOKU ∽ 58

8	6	7	9	2	3	1	5	4
5	4	2	7	1	6	8	3	9
3	1	9	4	8	5	6	2	7
1	3	6	8	4	7	2	9	5
2	5	4	1	3	9	7	6	8
9	7	8	5	6	2	3	4	1
6	9	5	2	7	1	4	8	3
7	8	3	6	5	4	9	1	2
4	2	1	3	9	8	5	7	6

SUDOKU ∽ 59

5	6	9	4	2	8	7	1	3
8	3	4	7	5	1	2	6	9
2	7	1	3	6	9	8	4	5
4	5	6	9	8	2	1	3	7
7	9	2	1	3	6	4	5	8
1	8	3	5	7	4	9	2	6
6	4	7	2	9	5	3	8	1
9	1	5	8	4	3	6	7	2
3	2	8	6	1	7	5	9	4

SUDOKU ∽ 60

5	6	1	3	4	7	9	2	8
3	9	8	6	5	2	4	1	7
2	4	7	9	8	1	5	6	3
4	2	9	7	1	3	8	5	6
7	5	6	2	9	8	3	4	1
8	1	3	5	6	4	7	9	2
6	3	2	4	7	5	1	8	9
1	7	4	8	2	9	6	3	5
9	8	5	1	3	6	2	7	4

SUDOKU ∼ 61

1	6	4	7	9	2	5	3	8
5	3	9	1	4	8	7	2	6
7	8	2	3	5	6	9	1	4
9	4	3	6	2	7	8	5	1
8	1	5	4	3	9	6	7	2
2	7	6	8	1	5	3	4	9
4	5	7	9	8	1	2	6	3
6	9	1	2	7	3	4	8	5
3	2	8	5	6	4	1	9	7

SUDOKU ∼ 62

4	9	5	8	7	3	2	1	6
7	1	2	4	5	6	3	9	8
6	3	8	1	2	9	5	4	7
3	6	7	9	4	5	8	2	1
5	8	1	6	3	2	9	7	4
2	4	9	7	1	8	6	3	5
1	2	6	3	8	4	7	5	9
8	5	4	2	9	7	1	6	3
9	7	3	5	6	1	4	8	2

SUDOKU ∼ 63

7	6	1	5	2	9	3	4	8
8	2	4	3	6	1	5	9	7
9	3	5	4	7	8	2	6	1
6	8	7	1	9	3	4	5	2
1	4	3	2	5	7	6	8	9
5	9	2	6	8	4	1	7	3
3	1	9	7	4	6	8	2	5
4	5	8	9	3	2	7	1	6
2	7	6	8	1	5	9	3	4

SUDOKU ∼ 64

6	8	9	1	7	4	2	5	3
7	4	1	2	5	3	6	9	8
3	5	2	6	9	8	1	7	4
9	3	8	5	1	2	7	4	6
1	7	4	3	8	6	5	2	9
2	6	5	9	4	7	3	8	1
5	2	3	4	6	9	8	1	7
4	1	7	8	3	5	9	6	2
8	9	6	7	2	1	4	3	5

SUDOKU ∼ 65

1	8	9	2	4	3	5	6	7
4	3	5	1	6	7	9	2	8
6	2	7	5	8	9	1	3	4
9	5	3	8	7	1	6	4	2
8	1	6	4	3	2	7	9	5
2	7	4	6	9	5	8	1	3
5	4	2	7	1	6	3	8	9
7	9	1	3	2	8	4	5	6
3	6	8	9	5	4	2	7	1

SUDOKU ∼ 66

8	5	7	3	1	6	2	9	4
6	4	2	5	9	7	1	8	3
1	3	9	4	2	8	5	6	7
4	7	5	1	6	2	9	3	8
9	6	3	8	5	4	7	1	2
2	8	1	9	7	3	4	5	6
3	1	8	2	4	9	6	7	5
7	9	4	6	3	5	8	2	1
5	2	6	7	8	1	3	4	9

SUDOKU ∽ 67

8	7	6	3	2	9	5	4	1
2	4	9	5	1	8	3	6	7
3	1	5	6	4	7	8	2	9
7	5	4	8	9	1	2	3	6
1	2	8	7	3	6	9	5	4
9	6	3	2	5	4	7	1	8
5	8	1	9	6	2	4	7	3
4	3	7	1	8	5	6	9	2
6	9	2	4	7	3	1	8	5

SUDOKU ∽ 68

9	4	1	5	8	6	3	2	7
3	8	2	1	9	7	4	5	6
5	6	7	3	2	4	1	9	8
7	9	6	8	1	2	5	3	4
1	3	4	9	6	5	8	7	2
2	5	8	7	4	3	6	1	9
6	2	5	4	3	9	7	8	1
8	7	9	6	5	1	2	4	3
4	1	3	2	7	8	9	6	5

SUDOKU ∽ 69

4	8	6	3	2	1	5	9	7
1	5	2	8	9	7	4	6	3
7	3	9	6	4	5	2	8	1
8	1	5	4	3	6	9	7	2
2	4	3	7	8	9	6	1	5
9	6	7	1	5	2	8	3	4
6	9	4	5	1	3	7	2	8
5	7	1	2	6	8	3	4	9
3	2	8	9	7	4	1	5	6

SUDOKU ∽ 70

9	5	3	7	6	1	8	2	4
1	6	2	4	5	8	3	7	9
7	4	8	2	3	9	6	5	1
5	2	7	1	4	3	9	6	8
3	9	4	8	2	6	5	1	7
6	8	1	5	9	7	2	4	3
4	3	6	9	1	2	7	8	5
2	7	5	3	8	4	1	9	6
8	1	9	6	7	5	4	3	2

SUDOKU ∽ 71

5	1	4	9	8	2	3	6	7
7	8	6	3	4	5	2	9	1
3	9	2	6	7	1	8	4	5
6	4	7	5	2	8	1	3	9
1	5	9	7	6	3	4	2	8
2	3	8	4	1	9	5	7	6
9	7	1	2	5	4	6	8	3
8	2	3	1	9	6	7	5	4
4	6	5	8	3	7	9	1	2

SUDOKU ∽ 72

2	1	9	8	3	7	4	5	6
7	6	3	1	5	4	9	2	8
8	4	5	9	2	6	7	3	1
4	8	2	6	7	9	5	1	3
1	3	6	5	4	8	2	7	9
5	9	7	2	1	3	8	6	4
3	2	8	7	9	1	6	4	5
9	5	1	4	6	2	3	8	7
6	7	4	3	8	5	1	9	2

SUDOKU 73

8	9	7	4	1	5	3	2	6
2	5	4	9	3	6	7	8	1
1	6	3	8	7	2	5	4	9
3	2	5	1	6	7	8	9	4
9	7	6	2	8	4	1	5	3
4	1	8	3	5	9	6	7	2
6	8	9	5	4	1	2	3	7
5	4	1	7	2	3	9	6	8
7	3	2	6	9	8	4	1	5

SUDOKU 74

2	3	1	7	6	9	5	8	4
6	5	8	2	4	3	7	1	9
7	4	9	1	8	5	3	2	6
1	7	5	3	2	6	4	9	8
4	2	6	9	7	8	1	5	3
9	8	3	5	1	4	6	7	2
8	6	2	4	5	1	9	3	7
3	1	4	8	9	7	2	6	5
5	9	7	6	3	2	8	4	1

SUDOKU 75

9	5	4	1	3	8	7	6	2
3	7	1	6	4	2	9	5	8
2	6	8	5	9	7	4	3	1
1	9	3	8	7	5	6	2	4
6	8	2	3	1	4	5	7	9
5	4	7	9	2	6	8	1	3
8	2	6	4	5	1	3	9	7
7	3	5	2	8	9	1	4	6
4	1	9	7	6	3	2	8	5

SUDOKU 76

3	2	7	4	9	1	5	8	6
9	6	8	3	7	5	2	4	1
5	1	4	8	2	6	3	9	7
1	7	3	5	8	4	9	6	2
6	8	9	7	3	2	4	1	5
2	4	5	6	1	9	8	7	3
8	3	1	9	5	7	6	2	4
4	9	2	1	6	3	7	5	8
7	5	6	2	4	8	1	3	9

SUDOKU 77

7	5	1	6	3	4	8	9	2
8	6	4	9	7	2	1	3	5
9	3	2	8	5	1	4	6	7
5	4	7	3	6	9	2	1	8
6	1	9	4	2	8	7	5	3
3	2	8	5	1	7	6	4	9
2	7	5	1	4	3	9	8	6
4	8	6	2	9	5	3	7	1
1	9	3	7	8	6	5	2	4

SUDOKU 78

3	1	6	9	4	8	7	2	5
9	4	8	5	2	7	6	3	1
2	5	7	6	1	3	8	4	9
5	2	4	3	7	6	9	1	8
6	3	1	8	9	4	5	7	2
8	7	9	1	5	2	4	6	3
7	6	5	2	8	1	3	9	4
1	9	3	4	6	5	2	8	7
4	8	2	7	3	9	1	5	6

SUDOKU ~ 79

7	1	6	5	4	2	9	3	8
3	5	9	6	1	8	7	2	4
8	2	4	3	7	9	6	5	1
1	6	7	8	9	3	5	4	2
9	8	2	4	5	6	1	7	3
4	3	5	1	2	7	8	9	6
6	4	1	9	3	5	2	8	7
5	7	8	2	6	4	3	1	9
2	9	3	7	8	1	4	6	5

SUDOKU ~ 80

5	7	3	2	9	1	6	8	4
6	8	9	3	7	4	5	2	1
1	4	2	8	5	6	9	3	7
7	3	1	9	8	5	4	6	2
9	2	4	1	6	3	8	7	5
8	6	5	4	2	7	3	1	9
2	9	6	5	1	8	7	4	3
3	5	8	7	4	2	1	9	6
4	1	7	6	3	9	2	5	8

SUDOKU ~ 81

3	9	8	5	4	2	1	7	6
6	7	5	1	8	3	2	4	9
4	2	1	6	9	7	5	8	3
7	1	6	3	2	5	8	9	4
2	5	9	4	6	8	3	1	7
8	4	3	7	1	9	6	5	2
1	3	7	2	5	4	9	6	8
5	8	4	9	3	6	7	2	1
9	6	2	8	7	1	4	3	5

SUDOKU ~ 82

9	1	8	2	3	5	7	6	4
3	7	2	6	8	4	1	9	5
6	5	4	9	7	1	3	8	2
2	6	3	7	1	8	5	4	9
4	9	5	3	6	2	8	7	1
7	8	1	5	4	9	2	3	6
5	3	7	4	2	6	9	1	8
8	2	6	1	9	7	4	5	3
1	4	9	8	5	3	6	2	7

SUDOKU ~ 83

8	4	7	2	9	3	5	1	6
1	9	5	8	4	6	7	2	3
3	6	2	1	7	5	4	9	8
6	7	9	3	8	1	2	5	4
2	1	8	6	5	4	9	3	7
5	3	4	9	2	7	6	8	1
4	8	6	5	1	9	3	7	2
9	2	3	7	6	8	1	4	5
7	5	1	4	3	2	8	6	9

SUDOKU ~ 84

4	8	1	7	5	3	6	9	2
7	2	9	6	1	4	8	5	3
5	6	3	2	9	8	7	1	4
9	1	5	8	4	6	3	2	7
2	3	6	9	7	1	4	8	5
8	4	7	3	2	5	9	6	1
3	5	8	4	6	2	1	7	9
6	9	2	1	3	7	5	4	8
1	7	4	5	8	9	2	3	6

SUDOKU ~ 85

4	3	2	1	6	7	8	9	5
5	1	8	9	3	2	4	7	6
9	7	6	4	5	8	3	1	2
2	8	4	7	9	1	6	5	3
3	9	7	6	2	5	1	8	4
6	5	1	8	4	3	7	2	9
7	2	9	3	1	6	5	4	8
8	6	5	2	7	4	9	3	1
1	4	3	5	8	9	2	6	7

SUDOKU ~ 86

9	6	4	2	5	8	1	3	7
5	2	8	1	3	7	6	9	4
1	7	3	4	9	6	5	8	2
6	9	7	8	1	5	2	4	3
8	3	1	6	2	4	7	5	9
2	4	5	3	7	9	8	1	6
3	5	6	9	8	2	4	7	1
7	1	2	5	4	3	9	6	8
4	8	9	7	6	1	3	2	5

SUDOKU ~ 87

2	5	1	8	6	4	7	3	9
8	7	6	9	5	3	4	1	2
4	3	9	1	7	2	5	6	8
9	6	7	5	4	1	2	8	3
1	8	5	2	3	7	9	4	6
3	4	2	6	9	8	1	7	5
6	2	3	7	1	5	8	9	4
5	1	4	3	8	9	6	2	7
7	9	8	4	2	6	3	5	1

SUDOKU ~ 88

6	5	2	9	4	8	1	3	7
9	8	3	6	7	1	2	4	5
4	7	1	3	2	5	8	9	6
5	1	6	7	8	4	9	2	3
2	4	7	5	9	3	6	1	8
3	9	8	1	6	2	7	5	4
8	6	4	2	5	9	3	7	1
7	3	9	4	1	6	5	8	2
1	2	5	8	3	7	4	6	9

SUDOKU ~ 89

7	9	6	8	2	3	4	5	1
4	3	2	1	7	5	6	8	9
5	1	8	4	9	6	7	3	2
8	4	9	3	5	2	1	7	6
2	6	1	7	8	4	3	9	5
3	7	5	9	6	1	8	2	4
1	8	7	5	4	9	2	6	3
6	5	4	2	3	8	9	1	7
9	2	3	6	1	7	5	4	8

SUDOKU ~ 90

7	3	8	6	1	4	9	5	2
5	2	9	8	3	7	6	1	4
6	4	1	2	9	5	7	3	8
1	6	3	4	5	2	8	7	9
4	5	2	9	7	8	1	6	3
9	8	7	3	6	1	4	2	5
2	1	4	5	8	6	3	9	7
8	9	6	7	2	3	5	4	1
3	7	5	1	4	9	2	8	6

SUDOKU ∽ 91

3	5	4	6	1	8	7	9	2
7	2	9	5	4	3	8	1	6
8	6	1	9	7	2	5	3	4
1	7	8	2	9	6	3	4	5
5	9	6	7	3	4	1	2	8
4	3	2	8	5	1	6	7	9
9	4	5	3	8	7	2	6	1
2	8	7	1	6	9	4	5	3
6	1	3	4	2	5	9	8	7

SUDOKU ∽ 92

3	4	2	8	1	9	7	5	6
8	7	9	4	5	6	1	3	2
6	1	5	3	2	7	4	9	8
4	9	8	5	7	3	6	2	1
7	2	6	1	9	8	5	4	3
1	5	3	6	4	2	9	8	7
9	8	4	7	3	1	2	6	5
5	6	7	2	8	4	3	1	9
2	3	1	9	6	5	8	7	4

SUDOKU ∽ 93

3	8	2	6	4	5	1	9	7
4	7	1	8	2	9	3	6	5
9	5	6	7	1	3	2	8	4
2	3	5	9	8	4	6	7	1
8	1	7	3	5	6	9	4	2
6	9	4	2	7	1	8	5	3
7	4	3	1	9	8	5	2	6
5	6	9	4	3	2	7	1	8
1	2	8	5	6	7	4	3	9

SUDOKU ∽ 94

7	5	1	2	6	8	9	4	3
6	9	4	5	3	7	1	8	2
3	8	2	9	4	1	7	5	6
2	4	9	8	7	6	3	1	5
8	3	6	1	5	9	4	2	7
5	1	7	4	2	3	8	6	9
1	6	8	3	9	2	5	7	4
4	7	3	6	1	5	2	9	8
9	2	5	7	8	4	6	3	1

SUDOKU ∽ 95

2	6	8	3	4	9	5	7	1
4	5	1	2	6	7	9	8	3
3	9	7	5	8	1	4	6	2
8	2	4	9	5	6	1	3	7
6	1	5	8	7	3	2	9	4
7	3	9	4	1	2	8	5	6
5	7	2	1	3	8	6	4	9
1	4	3	6	9	5	7	2	8
9	8	6	7	2	4	3	1	5

SUDOKU ∽ 96

4	2	9	1	7	5	6	3	8
8	1	7	2	3	6	4	5	9
6	5	3	4	8	9	7	2	1
3	7	8	5	2	1	9	4	6
2	6	4	3	9	8	1	7	5
1	9	5	7	6	4	3	8	2
7	8	1	9	4	2	5	6	3
9	4	2	6	5	3	8	1	7
5	3	6	8	1	7	2	9	4

SUDOKU ∞ 97

2	7	3	8	4	1	9	5	6
5	8	1	7	6	9	3	4	2
6	9	4	3	2	5	1	8	7
7	1	2	9	8	6	4	3	5
9	6	5	4	1	3	2	7	8
3	4	8	2	5	7	6	1	9
1	3	9	5	7	2	8	6	4
4	5	6	1	9	8	7	2	3
8	2	7	6	3	4	5	9	1

SUDOKU ∞ 98

1	5	6	4	8	7	9	2	3
8	3	4	2	9	6	5	1	7
9	2	7	5	3	1	8	6	4
4	8	9	7	1	5	6	3	2
7	6	2	9	4	3	1	5	8
3	1	5	6	2	8	4	7	9
2	7	8	1	6	4	3	9	5
6	9	3	8	5	2	7	4	1
5	4	1	3	7	9	2	8	6

SUDOKU ∞ 99

4	3	6	1	8	5	7	2	9
1	9	7	6	2	3	5	4	8
2	5	8	9	7	4	1	6	3
3	2	9	7	4	8	6	5	1
7	6	5	2	3	1	9	8	4
8	1	4	5	6	9	3	7	2
5	4	2	3	1	6	8	9	7
9	8	3	4	5	7	2	1	6
6	7	1	8	9	2	4	3	5

SUDOKU ∞ 100

9	6	5	7	8	3	2	4	1
4	8	3	1	5	2	6	7	9
1	2	7	9	4	6	5	3	8
5	7	1	4	6	8	9	2	3
2	4	8	3	9	7	1	6	5
3	9	6	2	1	5	7	8	4
6	1	2	8	3	9	4	5	7
8	5	4	6	7	1	3	9	2
7	3	9	5	2	4	8	1	6

SUDOKU ∞ 101

7	6	5	4	2	1	9	8	3
3	8	2	5	7	9	4	6	1
4	9	1	3	8	6	2	5	7
6	3	4	9	5	2	1	7	8
1	7	9	8	3	4	6	2	5
2	5	8	1	6	7	3	4	9
5	2	7	6	9	3	8	1	4
8	4	3	2	1	5	7	9	6
9	1	6	7	4	8	5	3	2

SUDOKU ∞ 102

9	6	3	2	1	5	4	8	7
7	5	1	9	8	4	2	3	6
2	8	4	6	7	3	1	5	9
3	1	6	8	9	2	5	7	4
8	7	5	1	4	6	3	9	2
4	2	9	5	3	7	8	6	1
6	3	7	4	5	1	9	2	8
1	9	2	3	6	8	7	4	5
5	4	8	7	2	9	6	1	3

SUDOKU ❦ 103

1	2	7	4	8	5	6	9	3
4	9	5	6	3	1	8	7	2
8	6	3	2	9	7	4	1	5
2	3	4	9	5	6	1	8	7
5	7	6	3	1	8	2	4	9
9	8	1	7	4	2	3	5	6
7	4	9	1	6	3	5	2	8
6	5	2	8	7	4	9	3	1
3	1	8	5	2	9	7	6	4

SUDOKU ❦ 104

5	7	3	2	8	4	9	1	6
9	8	6	7	1	3	4	2	5
4	2	1	5	6	9	8	3	7
8	1	7	9	5	2	3	6	4
3	6	4	1	7	8	2	5	9
2	9	5	4	3	6	7	8	1
6	4	9	8	2	5	1	7	3
7	5	8	3	9	1	6	4	2
1	3	2	6	4	7	5	9	8

SUDOKU ❦ 105

8	1	2	9	7	5	4	6	3
3	7	4	6	1	8	2	5	9
9	6	5	2	4	3	8	7	1
1	8	6	4	2	7	9	3	5
5	3	9	8	6	1	7	2	4
2	4	7	3	5	9	6	1	8
7	2	3	5	9	4	1	8	6
6	9	8	1	3	2	5	4	7
4	5	1	7	8	6	3	9	2

SUDOKU ❦ 106

9	3	4	7	5	8	1	2	6
7	6	8	2	9	1	5	4	3
1	5	2	3	6	4	9	7	8
8	9	3	6	4	5	2	1	7
4	7	6	8	1	2	3	5	9
2	1	5	9	7	3	6	8	4
3	2	9	1	8	7	4	6	5
6	4	7	5	2	9	8	3	1
5	8	1	4	3	6	7	9	2

SUDOKU ❦ 107

7	9	1	8	3	6	2	4	5
5	4	3	9	2	7	6	8	1
8	2	6	5	1	4	3	9	7
2	7	8	3	6	5	4	1	9
3	1	5	4	9	2	7	6	8
4	6	9	7	8	1	5	2	3
9	8	2	6	7	3	1	5	4
1	5	7	2	4	8	9	3	6
6	3	4	1	5	9	8	7	2

SUDOKU ❦ 108

5	3	9	1	7	8	6	4	2
4	8	2	9	3	6	7	1	5
1	6	7	2	5	4	3	8	9
7	2	8	6	4	5	9	3	1
9	5	4	8	1	3	2	7	6
3	1	6	7	9	2	8	5	4
6	9	3	5	8	1	4	2	7
8	7	1	4	2	9	5	6	3
2	4	5	3	6	7	1	9	8

SUDOKU ∼ 109

4	3	9	7	8	1	2	5	6
6	1	8	5	2	9	3	4	7
2	7	5	4	6	3	8	9	1
5	4	2	6	1	7	9	3	8
3	6	1	8	9	2	4	7	5
9	8	7	3	4	5	6	1	2
8	5	4	1	3	6	7	2	9
7	2	6	9	5	4	1	8	3
1	9	3	2	7	8	5	6	4

SUDOKU ∼ 110

9	8	5	4	3	1	6	2	7
6	2	7	5	9	8	1	3	4
4	3	1	2	6	7	9	5	8
3	5	6	7	2	9	8	4	1
8	7	9	1	4	3	2	6	5
1	4	2	8	5	6	3	7	9
2	1	8	3	7	4	5	9	6
7	9	3	6	1	5	4	8	2
5	6	4	9	8	2	7	1	3

SUDOKU ∼ 111

1	6	4	7	2	3	9	8	5
3	2	8	4	5	9	7	6	1
9	7	5	8	1	6	2	4	3
8	3	9	1	7	2	4	5	6
7	4	6	3	9	5	8	1	2
2	5	1	6	4	8	3	9	7
4	8	2	5	3	1	6	7	9
5	9	7	2	6	4	1	3	8
6	1	3	9	8	7	5	2	4

SUDOKU ∼ 112

6	5	9	7	8	1	4	3	2
8	3	4	2	6	5	7	9	1
7	2	1	9	4	3	8	6	5
2	8	5	3	7	4	9	1	6
9	4	7	1	2	6	3	5	8
3	1	6	8	5	9	2	4	7
4	7	3	6	1	8	5	2	9
5	6	2	4	9	7	1	8	3
1	9	8	5	3	2	6	7	4

SUDOKU ∼ 113

4	9	2	1	7	6	5	8	3
3	7	8	4	2	5	9	1	6
5	1	6	3	9	8	7	2	4
6	8	3	2	4	7	1	9	5
2	4	7	5	1	9	6	3	8
9	5	1	6	8	3	4	7	2
8	6	5	9	3	1	2	4	7
7	2	9	8	5	4	3	6	1
1	3	4	7	6	2	8	5	9

SUDOKU ∼ 114

5	8	6	1	9	4	2	3	7
2	1	4	6	3	7	8	9	5
3	7	9	2	5	8	6	1	4
9	5	8	3	7	2	4	6	1
7	4	2	8	6	1	3	5	9
6	3	1	5	4	9	7	2	8
1	9	3	7	8	6	5	4	2
8	2	5	4	1	3	9	7	6
4	6	7	9	2	5	1	8	3

SUDOKU 115

1	2	4	3	9	8	6	7	5
3	5	6	2	7	4	1	9	8
9	8	7	6	5	1	3	4	2
7	1	9	8	2	6	5	3	4
6	4	5	7	1	3	8	2	9
8	3	2	9	4	5	7	6	1
2	7	8	1	6	9	4	5	3
5	6	1	4	3	2	9	8	7
4	9	3	5	8	7	2	1	6

SUDOKU 116

8	6	1	9	7	5	2	3	4
3	5	2	6	4	1	8	7	9
4	7	9	2	3	8	1	6	5
6	2	3	4	5	7	9	1	8
1	9	4	3	8	2	6	5	7
7	8	5	1	9	6	4	2	3
5	1	8	7	6	9	3	4	2
9	3	6	5	2	4	7	8	1
2	4	7	8	1	3	5	9	6

SUDOKU 117

9	3	5	8	1	2	6	7	4
1	4	7	5	6	3	9	8	2
2	6	8	4	7	9	3	1	5
3	8	4	6	2	1	7	5	9
7	9	2	3	8	5	4	6	1
5	1	6	7	9	4	8	2	3
4	7	3	2	5	6	1	9	8
6	2	9	1	4	8	5	3	7
8	5	1	9	3	7	2	4	6

SUDOKU 118

7	9	4	6	5	8	1	2	3
8	6	5	2	1	3	7	9	4
3	1	2	4	9	7	6	5	8
6	2	1	5	4	9	8	3	7
4	3	7	8	2	1	9	6	5
5	8	9	7	3	6	4	1	2
2	5	6	1	7	4	3	8	9
1	4	3	9	8	2	5	7	6
9	7	8	3	6	5	2	4	1

SUDOKU 119

5	1	6	4	3	2	8	7	9
8	4	9	7	5	1	2	6	3
3	2	7	8	9	6	5	4	1
7	5	1	2	6	8	3	9	4
9	3	4	5	1	7	6	8	2
2	6	8	3	4	9	1	5	7
4	7	2	6	8	3	9	1	5
1	8	5	9	2	4	7	3	6
6	9	3	1	7	5	4	2	8

SUDOKU 120

8	4	6	7	2	9	5	1	3
5	2	9	4	3	1	8	7	6
7	3	1	5	6	8	9	2	4
9	8	2	3	4	7	1	6	5
1	5	3	2	8	6	7	4	9
6	7	4	9	1	5	3	8	2
4	1	5	6	7	3	2	9	8
2	9	8	1	5	4	6	3	7
3	6	7	8	9	2	4	5	1

SUDOKU ∾ 121

5	3	8	7	6	9	1	2	4
6	1	7	5	4	2	9	8	3
2	4	9	1	3	8	5	7	6
4	9	5	8	1	3	7	6	2
3	2	6	9	7	5	8	4	1
7	8	1	4	2	6	3	9	5
8	5	3	6	9	4	2	1	7
9	7	4	2	5	1	6	3	8
1	6	2	3	8	7	4	5	9

SUDOKU ∾ 122

3	5	9	6	7	1	2	8	4
6	8	1	4	2	3	9	5	7
7	4	2	8	9	5	6	1	3
5	3	6	7	4	9	8	2	1
2	9	4	1	8	6	7	3	5
1	7	8	3	5	2	4	9	6
8	6	5	2	1	4	3	7	9
4	1	7	9	3	8	5	6	2
9	2	3	5	6	7	1	4	8

SUDOKU ∾ 123

1	6	5	8	2	3	7	9	4
3	2	4	9	5	7	6	8	1
9	8	7	1	4	6	5	3	2
5	4	8	2	6	9	3	1	7
6	9	1	3	7	4	2	5	8
2	7	3	5	1	8	9	4	6
8	1	9	7	3	2	4	6	5
7	5	6	4	9	1	8	2	3
4	3	2	6	8	5	1	7	9

SUDOKU ∾ 124

8	4	3	7	1	2	6	9	5
6	5	2	9	4	3	7	1	8
7	1	9	8	6	5	2	4	3
5	9	4	2	8	7	1	3	6
1	2	8	3	9	6	5	7	4
3	7	6	4	5	1	9	8	2
4	3	7	6	2	9	8	5	1
2	8	1	5	7	4	3	6	9
9	6	5	1	3	8	4	2	7

SUDOKU ∾ 125

9	4	2	3	6	8	5	1	7
8	5	6	1	9	7	2	4	3
1	3	7	4	5	2	8	6	9
3	2	9	6	8	4	1	7	5
4	8	5	7	1	9	6	3	2
7	6	1	5	2	3	9	8	4
5	1	4	2	3	6	7	9	8
2	9	3	8	7	1	4	5	6
6	7	8	9	4	5	3	2	1

SUDOKU ∾ 126

4	6	1	5	7	9	8	3	2
9	2	5	3	8	6	4	1	7
3	7	8	2	1	4	5	6	9
5	9	6	1	3	2	7	4	8
1	4	3	8	9	7	2	5	6
7	8	2	6	4	5	3	9	1
2	1	7	9	5	3	6	8	4
6	5	9	4	2	8	1	7	3
8	3	4	7	6	1	9	2	5

SUDOKU ∽ 127

8	2	1	4	9	7	3	5	6
7	5	9	6	3	1	4	8	2
6	4	3	2	5	8	9	1	7
4	3	8	9	6	2	1	7	5
1	9	6	8	7	5	2	3	4
5	7	2	1	4	3	8	6	9
3	8	5	7	2	9	6	4	1
2	6	7	3	1	4	5	9	8
9	1	4	5	8	6	7	2	3

SUDOKU ∽ 128

7	6	1	9	2	5	4	3	8
9	5	4	3	6	8	1	7	2
2	8	3	1	4	7	9	5	6
4	7	5	6	9	3	2	8	1
8	3	9	7	1	2	6	4	5
1	2	6	5	8	4	7	9	3
6	4	2	8	3	9	5	1	7
3	9	7	2	5	1	8	6	4
5	1	8	4	7	6	3	2	9

SUDOKU ∽ 129

7	4	8	1	6	2	3	9	5
9	5	2	8	3	7	4	6	1
3	6	1	5	9	4	8	2	7
4	3	5	9	2	8	7	1	6
1	7	9	6	4	5	2	8	3
2	8	6	3	7	1	9	5	4
8	2	3	4	5	6	1	7	9
5	9	7	2	1	3	6	4	8
6	1	4	7	8	9	5	3	2

SUDOKU ∽ 130

8	1	5	3	7	2	6	9	4
4	6	2	1	9	8	7	3	5
3	9	7	4	5	6	2	1	8
5	7	4	6	2	1	3	8	9
1	3	6	7	8	9	4	5	2
9	2	8	5	4	3	1	6	7
7	8	3	9	6	4	5	2	1
2	5	1	8	3	7	9	4	6
6	4	9	2	1	5	8	7	3

SUDOKU ∽ 131

3	9	1	6	4	2	5	7	8
6	2	8	3	5	7	9	1	4
7	4	5	9	1	8	2	3	6
2	7	9	5	8	3	6	4	1
1	3	6	7	2	4	8	5	9
8	5	4	1	9	6	7	2	3
9	8	2	4	7	1	3	6	5
4	6	7	8	3	5	1	9	2
5	1	3	2	6	9	4	8	7

SUDOKU ∽ 132

7	4	9	1	6	2	3	5	8
5	6	2	8	9	3	7	4	1
3	8	1	5	7	4	2	9	6
1	7	8	2	4	6	5	3	9
2	3	5	7	8	9	6	1	4
4	9	6	3	1	5	8	7	2
8	2	3	4	5	1	9	6	7
6	1	7	9	3	8	4	2	5
9	5	4	6	2	7	1	8	3